Nino

mama

papa

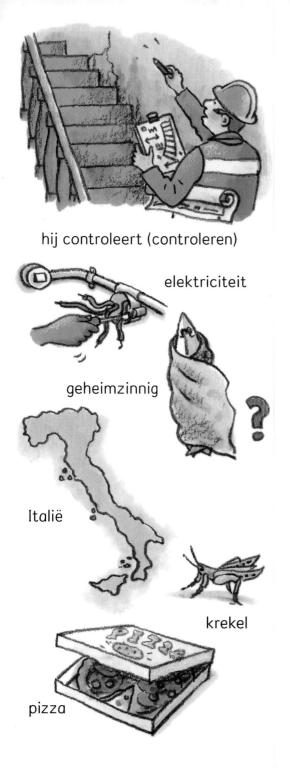

hij controleert (controleren)

elektriciteit

geheimzinnig

Italië

krekel

pizza

Joke de Jonge

Een vreemd hotel

met tekeningen van
Juliette de Wit

Op de cd staat een korte leesinstructie bij dit boek.
Daarna leest de auteur het eerste hoofdstuk voor.
Kijk op de cd welk nummer bij dit boek hoort.

Achter in het boek zijn leestips opgenomen voor ouders.

Boeken met dit vignet zijn op niveaubepaling geregistreerd
en gecontroleerd door KPC Groep te 's-Hertogenbosch.

1e druk 2006

ISBN 90.276.6315.7
NUR 286/283

© 2006 Tekst: Joke de Jonge
Illustraties: Juliette de Wit
Leestips: Marion van der Meulen
Vormgeving: Natascha Frensch
Typografie Read Regular: copyright © Natascha Frensch 2001 – 2006
Uitgeverij Zwijsen B.V. Tilburg

Voor België:
Zwijsen-Infoboek, Meerhout
D/2006/1919/276

Inhoud

1. Deze vakantie wordt saai

De deuren van de school gaan wijd open.
Alle kinderen willen naar huis.
Het is de laatste schooldag.
De grote **vakantie** begint!
Ook voor Mieke en Jesse begint nu de **vakantie**.

'Dit wordt een saaie **vakantie**,' zegt Mieke.
'Onze vrienden gaan allemaal weg.'
'Iedereen gaat weg en wij blijven hier, bah!' zegt Jesse.
'Mama gaat wel dingen met ons doen,' zegt Jesse.
'We gaan een dag naar de zee, zei ze.
En we gaan een dag naar de dierentuin.'
'Maar dat is toch anders,' zegt Mieke.
'Dat is anders dan echt op **vakantie** gaan.'
'Papa is wel blij met zijn nieuwe werk,' zegt Jesse.
'Maar het is stom dat wij daardoor niet op **vakantie** kunnen.'

Ze lopen de tuin in en zien mama zitten.
Ze zit aan tafel en ze kijkt heel blij.
'Kom gauw zitten,' zegt mama.
'Ik heb een leuke verrassing voor jullie!'
Mieke en Jesse kijken mama aan.
Een verrassing?
Wat voor verrassing zou dat zijn?
'Vertel mama, vertel!' roepen ze.

Mama kijkt hen heel blij aan.

Ze zegt even niks om het spannend te maken.

'Het is echt heel leuk,' zegt ze dan.

Mieke en Jesse kijken elkaar aan.

Waar zou de verrassing over gaan?

'We gaan tóch op **vakantie**!' zegt mama.

'Nino, de buurman, nodigt ons uit.

Hij rijdt woensdag naar **Italië**.

Weten jullie nog dat ik jullie vertelde over het hotel?

Dat hotel dat hij heeft gekocht in **Italië**?

Dat oude hotel wordt nu opgeknapt.

Het is bijna klaar en Nino gaat erheen.

Zijn hotel gaat over een maand open.

Dus hij moet **controleren** of alles goed is.'

Mieke en Jesse kijken mama aan.

'Wat bedoel je nou, mama?' vraagt Mieke.

'Wij mogen woensdag met Nino mee!' zegt mama blij.

'Wij?' vraagt Jesse verbaasd.

'Ja, Nino hoorde dat papa nieuw werk heeft.

En dat we daardoor deze zomer niet weg kunnen.

Dat vindt Nino een beetje zielig.

Dus mogen wij met hem mee naar zijn hotel.

Papa blijft hier.

Zo kan hij rustig aan zijn nieuwe baan beginnen.'

'Wow!' roept Mieke.

'Gaaf!' roept Jesse.

'In **Italië** is het toch altijd mooi weer?
En waar ligt dat hotel, mama?
Is het ver rijden?'
Mieke en Jesse willen er alles over weten.
Mama laat een kaart van **Italië** zien.
Ze wijst op de kaart een dorp aan.
'Het hotel ligt vlak bij dit dorp.
Kijk, het hotel ligt aan dit meer,' zegt ze.
'Dus je kunt er heerlijk zwemmen.
Maar we gaan Nino daar ook hélpen.
Wij helpen Nino met klussen,' zegt mama.
'Jullie kunnen bijvoorbeeld helpen in de tuin.
En dan zitten we op een fijne **vakantie**plek.'

Die avond liggen Mieke en Jesse in bed.
Ze dromen van een echt hotel en lekker zwemmen.
Nog vijf nachtjes slapen, dan is het zo ver.
Was het maar vast woensdag.

2. Op reis

Als ze wakker worden, weten ze het meteen weer.
Ze gaan woensdag naar **Italië**!
Nog vier nachtjes slapen, dan is het zo ver.
Straks gaan ze spullen voor de **vakantie** kopen.
'Jesse, jij krijgt een **verrekijker** van mij.
En Mieke krijgt een mooie **zaklantaarn**,' zegt papa.
'Dan denken jullie af en toe aan mij!'

En een paar dagen later is het dan echt zo ver.
Het is woensdagavond en ze vertrekken bijna.
'We gaan in de nacht al weg, hoor,' zegt mama.
'Het is een heel lange reis naar **Italië**.
Dan zijn we morgen, donderdag, in het hotel.
In de auto kunnen jullie ook slapen.'

Dus zo doen ze het.
Papa zwaait hen uit en daar gaan ze dan!
In de donkere nacht rijden ze de straat uit.
Al snel vallen Mieke en Jesse in slaap.
Nu zijn ze echt onderweg naar het mooie hotel.
Dan wordt het ochtend, middag en bijna avond.
Ze rijden inmiddels al door **Italië**.
De reis duurt lang en het is heet onderweg.
Ze denken aan het frisse water van het meer.

Nino fluit een vrolijk liedje.
'Nu zijn we er echt bijna,' zegt hij dan.
'We hoeven nog maar één bocht om.
Ik hoop maar dat alles bijna klaar is.
De opzichter weet niet dat ik nu al kom.'
En daar ... zien ze het hotel dan eindelijk!
Het ligt aan het eind van een lange laan.
Maar wat gebeurt er nu?
Nino stopt met fluiten.
'Dit kan niet waar zijn,' zegt hij.
De anderen zeggen niets.
Ze schrikken als ze het hotel zien.
Ze zien scheuren in de muren van het hotel.
Er zijn ramen kapot en luiken hangen los.
Nino stopt voor het hotel en stapt snel uit.
Met grote stappen loopt hij op het hotel af.

'Is dít echt het hotel?' vraagt Jesse zacht.
'Wat een krot, mama!' zegt Mieke zacht.
Alles ziet er vies en oud uit.
Er komt een man uit het hotel op Nino af.
'Dat is vast de opzichter,' zegt mama.
'Moet je zien hoe hij schrikt.
Hij had Nino nog lang niet verwacht.'
De mannen praten heftig met elkaar.
'Lopen jullie maar even naar de achterkant.
Dan kun je de tuin zien,' zegt mama.
'Misschien zie je het meer daar ook.'

Ze lopen naar de tuin.

Het is een wilde tuin.

Het gras staat er heel hoog.

In het hoge gras staan vreemde beelden.

Het is heet en stil, je hoort alleen krekels.

'Het ziet er vreemd uit hier,' zegt Jesse.

'Ik krijg er een raar gevoel van.'

'Ik ook,' zegt Mieke.

'Het voelt alsof we hier niet mogen komen.

Laten we teruggaan naar mama.'

'Wat een fijn hotel is dit,' zegt Jesse.

'Maar niet heus,' zegt Mieke.

'Ik wil zwemmen in het meer en eten en slapen.'

'Ja, ik ook,' zegt Jesse sip.

'Het is hier heel anders dan ik dacht.'

Mieke en Jesse moeten er bijna van huilen.

'We mogen niet naar binnen,' zegt mama.

'De opzichter zegt dat het er te gevaarlijk is.

Hij wil eerst de trap **controleren**.

De treden van de trap zijn volgens hem niet veilig.

Nino praat nu met de opzichter.

En Nino laat zich heus niet wegsturen.

Hij regelt wel dat het in orde komt.

We gaan zo ergens wat eten,' zegt mama.

'Daarna kunnen we vast wel naar binnen.'

Maar willen Mieke en Jesse dat nog wel?

Waar zijn ze terechtgekomen?

3. De eerste avond in Italië

De opzichter gaat het hotel weer in.
Nino komt naar mama, Jesse en Mieke toe.
'Wat denkt die vent wel!' zegt Nino.
'Het is nog lang niet klaar.
En de treden van de trap zijn gevaarlijk.
Hij wil dat we naar een ander hotel gaan.
Ik dénk er niet over!'
'Wat een toestand,' zegt mama.
'En hoe gaat het nu verder?'
'Ik heb gezegd dat hij de trap moet **repareren**.
En hij maakt een paar kamers in orde.
Dan kunnen we er over een paar uur in.'

'En … hoe ziet het er binnen uit?' vraagt mama.
'Valt het mee of is het een ramp?'
'Het is een ramp en er klopt iets niet!
De keuken en de eetzaal zijn niet klaar.
De kamers zijn nog niet opgeknapt.
Wat hebben ze dan wél gedaan?'
Nino staat te trillen van boosheid.
'Het is net of die opzichter iets verbergt.
Ik vertrouw het niet.
Hij zegt ook dingen die niet kloppen.
En hij wil me zo graag weg hebben hier.
Gaan jullie maar eten,' zegt Nino.

'Ik blijf hier, ik heb toch geen trek.'
Hij legt mama uit waar ze een **pizza** kunnen eten.

Het is de eerste avond van hun **vakantie**.
Maar het is niet gezellig.
De **pizza** smaakt niet echt lekker.
Mieke en Jesse zeggen niet veel.
'Ik vind het heel naar voor jullie,' zegt mama.
'Maar eerst gaan we een nacht goed slapen.
Nu zijn jullie ook heel moe van de reis.
Morgen ziet alles er vast anders uit!'
Mieke en Jesse knikken allebei.
Ze willen zo gauw mogelijk naar bed.

Nino komt eraan als ze weer bij het hotel zijn.
'Loop maar mee naar de kamers,' zegt hij.
'Jullie slapen aan de achterkant.'
Binnen ligt zand en wit gruis.
Nino loopt te mopperen.
'De muren hadden allang klaar moeten zijn!
Wat een puinhoop is het hier!
Ik heb spijt,' zegt Nino tegen mama.
'Ik heb spijt dat ik deze opzichter heb.
Ik weet bijna niks van deze man.
Kijk nou eens naar die trap.
Wat heeft hij eraan **gerepareerd**?
Er zit nu een plankje op één slechte tree.
Wilde hij ons wegsturen voor één slechte tree?'

4. Waarom doet hij zo stiekem?

'Jesse, ik kan niet slapen, jij wel?'
'Nee, ik ook niet.
De deur kan hier niet eens op slot.
Iedereen kan zo naar binnen lopen.'
'Dat vind ik ook naar,' zegt Mieke.
'Die opzichter kan dus ook zomaar naar binnen.
Ik vind die man een beetje eng.
Hij kijkt steeds zo kwaad.
Gelukkig is hij al naar huis toe.'
Mieke en Jesse waren net heel moe.
Maar nu ze in bed liggen, zijn ze heel wakker.

Mieke gaat haar bed uit.
'Kom, laten we even naar het meer kijken.'
'Ja leuk, ik pak mijn **verrekijker**,' zegt Jesse.
Ze lopen naar het raam.
'Moet je nou zien!' zegt Jesse.
Hij wijst op het paadje dat naar het meer gaat.
'Daar loopt die opzichter!'
'Dat kan niet, die ging naar huis,' zegt Mieke.
'Jij zag hem toch ook in dat busje wegrijden?'
'Dan is hij teruggekomen, kijk zelf maar!'
Jesse geeft de **verrekijker** aan Mieke.
'Ja, dat is die opzichter,' zegt Mieke.
'Wat moet hij daar?'

Ze kijkt nog eens.

'Wat doet hij **geheimzinnig**, Jesse!

Hij kijkt steeds om zich heen.

Nu gaat hij de schuur in …

En hij doet het licht niet eens aan!

Hij wil echt niet dat iemand hem ziet.

Jesse, kijk nou!

Hij heeft iets bij zich, iets heel groots.'

Mieke geeft Jesse de **verrekijker**.

'Niet te geloven!' zegt Jesse.

'Hij heeft iets uit de schuur gepakt.

En niemand mag zien wat het is.

Hij heeft er een lap omheen gedaan.'

'Waarom doet hij zo stiekem?' vraagt Mieke.

'Misschien pikt hij het wel,' zegt Jesse.

'Die lap zit er niet goed omheen.

Ik zie er een stuk onderuit komen.

Het lijkt wel een **surfplank**!'

'Echt waar?' vraagt Mieke.

'Ja, en hoorde je wat Nino tegen mama zei?

"Het lijkt alsof de opzichter iets verbergt."

Dat verhaal over die beelden is toch ook raar.

Nino vertrouwt die man niet.

Zie je wel, hij loopt nu ook niet hierheen.

Hij verdwijnt daarachter.

O wat jammer, nu zie ik hem niet meer.'

'We gaan morgen bij die schuur kijken, Jesse.

Er is iets **geheimzinnig**s met die opzichter …'

5. De sleutel is kwijt

Die nacht slapen Mieke en Jesse niet rustig.
Als ze wakker worden, is mama al op.
Ze kijken gauw weer door de **verrekijker**.
Bij de schuur is nu niks vreemds te zien.
Ze zien mama en Nino in de tuin zitten.
'Wat denk jij?' vraagt Jesse.
'Denk je dat die opzichter een **surfplank** pikte?
Dat kan toch?
Waarom zou hij anders zo stiekem doen?'
'Ik weet het niet,' zegt Mieke.
'Die man doet meer rare dingen.
We moeten goed op hem letten.
Ga je mee naar buiten?'
Ze kleden zich in een minuut aan.

Ze rennen het hotel uit, de wilde tuin in.
Mama en Nino zitten druk te praten.
'Hebben jullie goed geslapen?' vraagt mama.
Ze knikken een beetje.
'Ik maak zo eten, ik luister even naar Nino.'
Nino praat verder.
'Die opzichter is zo raar bezig,' zegt Nino.
Mieke en Jesse kijken elkaar aan.
Nu moeten ze goed opletten wat Nino zegt.
'Er zijn niet eens mannen aan het werk nu!

Terwijl er zoveel te doen is!
Snap jij dat?' vraagt hij.
'Nee, dat vind ik ook heel vreemd,' zegt mama.
'En hij wil dat wij vandaag weggaan.
Dan kan hij het dak **controleren**.
Maar dat is onzin, want het dak is in orde.'
'Wat raar allemaal,' zegt mama.

'En dan is er nog iets,' zegt Nino.
'Ik kan mijn eigen schuur niet eens in!
De opzichter is de sleutel kwijt.
Dat is toch niet te geloven!'
Mieke en Jesse kijken elkaar aan.
De opzichter was gisteren in de schuur.
En nu is de sleutel van de schuur kwijt …?

Mieke en Jesse lopen wat verder de tuin in.
Zo horen mama en Nino niet wat ze zeggen.
'Zie je wel, Jesse.
We moeten bij die schuur gaan kijken.'
'Ja,' zegt Jesse.
'Maar mama en Nino moeten dat niet merken.
We doen het als zij even weg zijn.'

6. Hier gaat echt niks mis

'Kom, ik laat jullie het meer zien,' zegt Nino.
'Kun jij surfen, Nino?' vraagt Jesse.
'Ik?' vraagt Nino en hij begint hard te lachen.
'Nee, dat is niks voor mij.'
'Dus jij hebt geen **surfplank**?
Heb je wel **surfplanken** voor het hotel?'
'Nee, maar hier ligt vast wel ergens een oude.
Die mag je rustig pakken, hoor.'

'Wat een prachtig meer is het,' zegt mama.
'Is het hier altijd zo stil?'
'Ja, deze plek is echt alleen voor de gasten.'
Nino wijst op een bootje in het riet vlakbij.
'Soms zie je een visser in een boot,' zegt hij.
'Maar verder komt hier geen mens.'
Dat vinden Mieke en Jesse juist niet zo fijn.
'Willen jullie zwemmen?' vraagt mama.
'Dan doen Nino en ik even boodschappen.
Het is hier toch veilig, Nino?'
'Ja, hier gaat echt niks mis,' zegt Nino.
'Jullie mogen alleen niet naar de kelder van het hotel.
De trap is nog niet **gerepareerd**.
En er is ook nog geen **elektriciteit**.
De opzichter komt pas over een paar uur.'
Mieke en Jesse kijken elkaar aan.

Ze zijn niet van plan te gaan zwemmen.
Maar in die tijd kunnen ze de schuur bekijken.
Daarom knikken ze ja.

Als mama en Nino weg zijn, is het heel stil.
Je hoort alleen de **krekels** tussen de beelden.
Nu is het ineens een beetje eng in de tuin.
Dat gevoel hadden ze de eerste dag ook al.
Ze lopen gauw naar de schuur.
'Sta eens stil, Mieke, ik hoor iets …
Het lijkt wel of er iemand in de schuur is.'
Op hun tenen lopen ze verder.
'Je hebt gelijk, ik hoor ook wat.'
Mieke wijst naar een klein raam.
Heel zachtjes lopen ze ernaartoe.
Mieke is het eerst bij het raam.
Ze gaat op haar tenen staan.
'Kun je iets zien?' vraagt Jesse.
'Er is écht iemand,' zegt ze heel zacht.
'Er is een man.
Als hij ons maar niet hoort.'
Heel voorzichtig kijkt ze nog eens.

Daarna lopen ze gauw weg naar een struik.
Ze bukken samen achter de struiken.
'Wat eng, Jesse, er zit echt een vent!
Hij doet ergens grote lappen overheen.
Hij verstopt iets, denk ik.'

'Wat verstopt hij dan?'

'Dat zag ik niet, ik zag alleen die lappen.'

Mieke en Jesse lopen snel bij de schuur weg.

Wat doet die man als ze hem betrappen?

Is hij gevaarlijk?

7. Mannen op het dak

Nu staan ze een eind bij de schuur vandaan.
Ze trillen nog na van de schrik.
'Hoe komt die man hier?' vraagt Mieke.
'Misschien met dat bootje,' zegt Jesse.
'En hoe kan hij de schuur in?' vraagt Mieke.
'Met de sleutel van de opzichter,' zegt Jesse.
'Misschien verstoppen die mannen daar iets.
Gestolen spul.'
'Denk je dat echt?' vraagt Mieke.
'Dat het dieven of boeven zijn?
Dat moeten we uitzoeken voor Nino.
Weg hier, straks komt die man er nog aan.'

Ze lopen door de tuin naar het hotel.
Midden in het gras staat Jesse stil.
'O nee, die opzichter is er al.
Kijk, daar staat zijn busje.'
'Waar is hij zelf dan?' vraagt Mieke.
'Hij moet ons nu niet zien, Jesse!
Hij mag niet weten dat wij bij de schuur waren ...'

'Mieke, bukken!' zegt Jesse.
'Verstop je achter dat gras.'
Jesse gaat zelf snel achter een beeld staan.
'Die opzichter staat op het dak!

Wat moet hij daar nou?' vraagt Jesse.

'Hij kijkt heel goed in het rond,' zegt Mieke.

'Het lijkt wel of hij op de uitkijk staat.'

'Hij denkt dat wij weg zijn,' zegt Jesse.

'Daarom is hij iets van plan.

Maar hij wil absoluut niet ontdekt worden.'

'Als hij ons maar niet ziet,' zegt Mieke.

'Hij kijkt wel deze kant op,' zegt Jesse.

Mieke vergeet even adem te halen.

'Jij staat achter dat beeld, Jesse.

Maar straks ziet hij mij wel!

Jesse, nu is er nog een man bij!'

Ook Jesse vergeet even adem te halen.

Als Jesse kijkt, ziet hij de mannen niet meer.

'Waar zijn ze nou?' vraagt hij in paniek.

'Komen ze eraan omdat ze ons gezien hebben?

Wegwezen!

Kom op, we rennen naar de voorkant.'

Ze rennen langs het hotel naar de voorkant.

Als ze daar zijn, horen ze geluid op het dak.

'Nu staan ze vlak boven ons!' zegt Mieke zacht.

'Wat zijn ze van plan?'

'Ze zijn iets van plan dat niemand mag zien.

Vanaf het dak zien ze of er iemand aankomt.'

'Heel stil blijven staan,' zegt Jesse zacht.

'Hier kunnen ze ons niet zien.'

'Nee, maar ze hebben ons vast al gehoord.'

8. Wat zijn ze van plan?

Mieke en Jesse wachten bang en stil af.
Ze staan nog steeds tegen de muur aan.
Nu horen ze geluid boven hun hoofd.
'Ze komen van het dak af,' zegt Mieke.
'Wat moeten we doen?'
Ze horen de mannen naar binnen gaan.
Mieke en Jesse houden hun adem in.
Maar de mannen komen de trap niet af.
Nu klinken er werkgeluiden van boven.
Het is net alsof de mannen het dak **repareren**.
Mieke en Jesse kijken elkaar verbaasd aan.
Dan horen ze de auto van Nino op de oprijlaan.
'Wat een geluk, Nino komt eraan.
Vanaf het dak zagen de mannen Nino natuurlijk aankomen!
Daarom gaan ze gauw aan het werk,' zegt Jesse.

Mama en Nino stappen uit de auto.
'Nino is iets vergeten,' zegt mama.
'Zijn jullie niet aan het zwemmen?'
'We wilden toch liever met jou, mama.'
'Dan ga ik zo wel mee,' zegt ze.
'Nino gaat pas later terug naar de winkel.'

Nino gaat in de tuin zitten.
De opzichter komt naar hem toe.

Hij kijkt alsof er niets aan de hand is.

Mieke durft de man niet aan te kijken.

Jesse ook niet.

Weet de man dat ze bij de schuur waren of niet?

9. De verrassing

'Ik heb nog een verrassing voor jullie.'
'Wat dan, mama?' vraagt Mieke.
Ook Jesse kijkt mama aan.
Hij vindt de verrassingen hier niet zo leuk.

'Ik vond net twee oude **surfplanken**.
En er is iemand die jullie wil leren surfen!'
'Wie is dat dan?' vraagt Jesse meteen.
'Het is de zoon van de opzichter.
Hij heet Antonio.'
Mieke en Jesse kijken niet blij.
'Nino is zo boos op de opzichter,' zegt mama.
'Dus die man wil iets goedmaken met Nino.
Daarom geeft zijn zoon jullie voor niks les.
Ik stel jullie zo aan hem voor.
Dan is morgen de eerste les.'

Na een poos komt mama met iemand aan lopen.
'Dit is Antonio, voor de surflessen.'
De haren op Miekes armen gaan overeind staan.
De jongen kijkt hen lang aan.
Ze krijgen het er benauwd van.
Dat is die vent uit de schuur, denkt Mieke.
Gaat híj ons leren surfen?

10. Op onderzoek uit

'Jesse, ik wil geen surfles van die man.
Straks doet hij ons wat,' zegt Mieke.
'Ja, ik vind hem ook eng,' zegt Jesse.
'We moeten heel snel op onderzoek uit.
We moeten uitvinden hoe het zit.'
Ze spelen een tijd in het water.
In die tijd zien ze niks vreemds bij de schuur.

Veel later wil Nino naar de winkel gaan.
Mama vindt het leuk om mee te gaan.
De opzichter en Antonio zijn al weg.
'Mogen wij hier blijven?' vragen Mieke en Jesse.
'We zijn zo moe van het zwemmen.'
Ze zijn niet echt moe.
Maar dan kunnen ze op onderzoek uit.
Zo vertrekken mama en Nino naar de winkel.

'Waar zullen we beginnen?' vraagt Jesse.
'Durf jij bij de schuur te gaan kijken?'
'Eigenlijk niet,' zegt Mieke.
'Ze komen vast terug bij de schuur.
Om die verstopte spullen op te halen.'
'Dat denk ik ook, maar ik weet iets anders.
Mijn **verrekijker** is heel goed.
Daarmee zien we heel veel vanuit onze kamer.

We zien het paadje en de schuur en het meer.

Weet je dat onze kamer een luik voor het raam heeft?

Daar kunnen we een beetje achter gaan staan.

Dan zien ze ons niet zo snel.'

'Wat een goed plan!' zegt Mieke.

Zo doen ze het en even later staan ze op wacht.

Jesse kijkt door zijn **verrekijker**.

'Wat kun je er toch goed mee zien!' zegt hij.

'Zie jij al iets verdachts?' vraagt Mieke.

'Nee, nog niet,' zegt Jesse.

'Kijk eens bij die struik,' zegt Mieke.

'Daar zie ik iets glimmen.'

'Even zoeken,' zegt Jesse.

'Wow!' zucht hij.

'Wat zie je, zie je iets bij die struik?'

'Ik zie een stukje van iets heel moois.

Mieke, het is een nieuwe **surfplank**!

Zo'n hele dure, zie je wel!'

'Laat mij eens kijken,' zegt Mieke.

Jesse geeft haar de **verrekijker**.

'Zo!' zegt Mieke.

'Dat ding ziet er hartstikke nieuw uit!

Waar komt die **surfplank** ineens vandaan?

En wie heeft hem daar neergezet?'

'Die Antonio misschien?' zegt Jesse.

'Jesse, ik zie wat bewegen daar.

Niet te geloven!'

Mieke fluit zachtjes van wat ze ziet.

'Wat zie je dan?' vraagt Jesse.

'Ik zie een stukje van het meer,' zegt Mieke.

Het lijkt wel of er een bootje aankomt ...'

'Een bootje?'

'Zullen we ernaartoe gaan?'

'Nee, dat durf ik echt niet,' zegt Jesse.

'Straks zijn die engerds daar!'

'Ik vind het ook heel eng, hoor!' zegt Mieke.

'Maar anders komen we toch nergens achter!

Straks halen ze echt spul uit de schuur.

Van hieruit zien wij niet alles.

We lopen heel zacht en voorzichtig.

En we verstoppen ons ergens achter de struiken.'

11. Achter de struiken

Ze hebben pijn in hun buik van de spanning.
Maar nu stoppen?
Nu ze bijna weten hoe het zit?
Ze geven elkaar een hand.
Hand in hand lopen ze zachtjes de tuin in.
Ze bibberen ervan.
Ze lopen natuurlijk niet over het paadje.
Als ze dat doen, worden ze zeker gezien.
Ze kruipen zachtjes ergens achter een struik.
Daar blijven ze heel stil zitten.

'Er staat iemand bij de schuur,' zegt Mieke.
'En ik hoor de motor van een bootje.'
'Meen je dat?' vraagt Jesse heel zacht.
'Ja, dat bootje komt echt hierheen!
Hij ligt nu vlakbij, de motor is uit.
Ze willen niet dat iemand dat hoort.
Ze mogen ons absoluut niet zien!'

Ze horen een peddel in het water plonzen.
Het bootje komt dichterbij.
Dan horen ze twee stemmen.
Twee Italiaanse mannen praten zacht met elkaar.
Eentje vanuit de boot, de ander vanaf de kant.
Ze herkennen allebei de stemmen!

Het zijn de opzichter en Antonio!
Het bootje komt naar de kant en legt aan.
Mieke en Jesse voelen zich alsof ze bevriezen.
Ze zijn stijf van de zenuwen.
Dit is echt heel erg spannend!

Even later geloven ze niet wat ze zien.
Ze mogen niet ontdekt worden.
Daarom durven ze niet steeds te kijken.
Maar wat ze wél zien, is duidelijk.
Het gaat niet om één nieuwe **surfplank**.
Het is een hele partij nieuwe **surfplanken**!
Ze zijn nog allemaal ingepakt in **plastic**.
En die komen tevoorschijn uit … de schuur!

De mannen laden de **surfplanken** in de boot.
Ze kijken steeds om zich heen.
Het klinkt alsof ze ruzie hebben.
Ze zijn nerveus en hebben veel haast.
Mieke en Jesse hopen ook dat het snel klaar is.
'Als ze maar allebei in die boot gaan!' zegt Mieke.
'Anders loopt er straks eentje langs ons …'

12. Weg van die plek

Mieke en Jesse hebben geluk.

De mannen varen samen weg.

Mieke en Jesse rennen terug naar het hotel.

Weg van die plek en weg bij de schuur!

Ze hijgen ervan.

'We bellen mama en Nino meteen,' zegt Jesse.

'Ja,' zegt Mieke en ze pakt haar mobiel.

Ze toetst het nummer in.

'Het lukt niet, Jesse!

O, je moet in **Italië** anders bellen dan thuis.

Wat erg, ik weet niet hoe!'

'Ik ook niet, dus we kunnen niks doen.

Alleen maar wachten,' zegt Jesse.

'Wat vreselijk!'

'We moeten iets doen,' zegt Mieke.

'Ja, ik houd dat wachten ook niet uit.

Zou hier meer gestolen spul liggen?' vraagt Jesse.

'Weet je nog wat Nino over de kelder zei?

Daar mogen we van de opzichter niet komen.

Er missen stukken van de traptreden.

En er is geen **elektriciteit**.

Dat is vast weer een smoes,' zegt Mieke.

'Als hij meer verbergt, is dat in de kelder.

Ik haal mijn **zaklantaarn** even.

Kom op, naar de kelder!' roept ze.

13. De kelder in

Ze krijgen de kelderdeur moeilijk open.
Als Mieke de **zaklantaarn** aandoet, zien ze de trap.
De stenen trap die de kelder in gaat.
Hier en daar mist een stuk van een tree.
Maar echt gevaarlijk is het niet.

Mieke schijnt met de **zaklantaarn** omlaag.
Ze zien een grijze ruimte die op een grot lijkt.
Draden van **elektriciteit** steken zomaar uit de muren.
Op de grond ligt viezigheid.
Het ruikt er naar oude gebouwen.
De rillingen lopen over hun armen.
'Ik hoor iets …' zegt Mieke.
'Straks zitten hier ratten.'
Ze durven de trap bijna niet af te lopen.
Jesse doet een klein stapje.
Mieke schijnt met de **zaklantaarn** over zijn schouder.
'Daar beweegt iets, Jesse, blijf staan!
Daar, in die hoek … daar zit een muis.'
'Het is niet waar, hè,' zegt Jesse.
'Straks loopt hij over mijn voeten.'
Toch gaan ze verder de trap af.
De muis gaat ervandoor.
'Schijn eens goed in het rond,' zegt Jesse.
Mieke schijnt en schijnt …

'Ja, stop!' roept Jesse ineens.

'Schijn daar eens goed heen, Mieke.

Schijn eens naast dat oude gordijn.

Daar staan nog meer **surfplanken**!'

Hun monden vallen ervan open.

'Wat zijn dat er veel!' roept Jesse uit.

Hij loopt erheen, terwijl Mieke met de **zaklantaarn** schijnt.

Hij schuift het oude gordijn een stuk opzij.

'Mieke, kijk eens, je weet niet wat je ziet!' zegt hij.

'Hier staat nog een verrassing.'

Er staan witte beelden onder **plastic** hoezen.

'Dat zijn vast de dure beelden die Nino mist!

Weet je nog wat Nino zei?' zegt Mieke.

'De opzichter zei dat ze niet zijn gebracht.

Maar hij heeft ze hier dus verstopt!

Wat een oplichter!'

'Dit is net een spannende film,' zegt Jesse.

'Maar nu is het spannend genoeg geweest.

Van mij mag mama gauw terugkomen.'

'Van mij ook,' zegt Mieke.

Hun stemmen trillen ervan.

Ze willen de kelder uit.

Ze hebben het ineens heel koud.

14. Wat een oplichter!

Zo snel als ze kunnen, gaan ze de kelder uit.
Vlak daarna komen mama en Nino terug.
Ze rennen op mama af.
Mama ziet meteen dat er iets mis is.
Ze slaat haar armen om hen heen.
'Wat is er aan de hand?' vraagt ze.
En dan komen de tranen.
Ze kunnen even niks zeggen.
Mama troost hen en haalt wat te drinken.
'Vertel nu eens rustig wat er is,' zegt ze.
'De opzichter is een dief en wij weten alles!'
Mama en Nino schrikken er heel erg van.
'Hoe weten jullie dat?
Vertel!'
Dan vertellen ze, over de schuur en de sleutel.
En over de **surfplanken** en de beelden.
Het is nog steeds net een spannende film.
Maar in deze film spelen ze zélf de hoofdrol.

Nino belt de politie en die komt meteen.
Dan gaat alles heel snel.
De politie wil veel dingen precies weten.
Ze onderzoeken de schuur en de kelder.
Andere agenten gaan achter de opzichter aan.

'Nu snap ik al die rare dingen,' zegt Nino.
'Hij had het hotel alleen nodig voor dat spul.
Daarom deed hij bijna niks aan de verbouwing.
En hij wilde mijn beelden dus ook nog stelen!
Ik vond alles al zo vreemd hier.
Ik kwam eerder dan de opzichter dacht.
Ik wilde hem verrassen.'

Dan zegt de agent wat.
Hij praat Italiaans.
De agent wijst naar Mieke en Jesse.
Ze zien Nino knikken.
Nino vertaalt wat de agent zegt.
'Ik heb geluk gehad, zegt hij.
Dat komt omdat jullie nog op tijd waarschuwden.
Maar jullie hadden dat nog eerder moeten doen.
Wat jullie deden, was erg gevaarlijk.'

Niet veel later wordt de agent gebeld.
'Hij heeft heel goed nieuws!' zegt Nino.
'Ze hebben de mannen al opgepakt!
Ze waren hun spul uit de boot aan het laden.'
Van blijdschap pakt Nino Mieke en Jesse beet.
'Dat is allemaal door jullie!' zegt hij.
'En nu gaan jullie slapen,' zegt mama.
Mama blijft bij hen tot ze in slaap vallen.
Maar dat duurt wel even!

15. Een laatste verrassing

Ze zijn zo moe dat ze heel lang slapen.
Al heel vroeg zijn er werkgeluiden in huis.
Maar daar slapen Mieke en Jesse doorheen.
Het is al bijna middag als ze wakker worden.
'Ik wil naar huis, jij ook?' vraagt Mieke.
'Ja, de tuin blijft een enge plek,' zegt Jesse.
'Hier wordt het echt niet meer leuk.'
Mieke staat op om naar buiten te kijken.
'Wow!' zegt ze, 'moet je nou kijken!'
Allemaal mensen zijn hard aan het werk.
Het wordt een heel andere tuin ...

Ze leggen tegels voor een terras.
De gekke, oude beelden zijn weggehaald.
Vier prachtige witte beelden staan klaar.
Wat verderop zien ze mama zitten.
'Jesse, daar staat zelfs een schommelbank!'
Wat willen ze nu graag naar buiten.
Binnen zijn ook overal mannen aan het werk.
Ze maken de scheuren in de muren dicht.
En ze zijn aan het werk om de keuken te maken.

'Is alles goed met jullie?' vraagt mama.
'Wat hebben jullie lang geslapen!
Nino vond gisteren nog een nieuwe opzichter.

Die is met een heel grote ploeg aan het werk.

Zie je hoe prachtig het wordt?

Over een paar dagen is het hier heerlijk.

Dan denken jullie niet meer aan enge dingen.

Echt, dan hebben we fijn **vakantie**.'

Mieke en Jesse zeggen niks terug.

'Kom, hier passen we met z'n drietjes op.

Ik laat jullie hier niet meer alleen.'

Ze trekt hen naar zich toe op de schommelbank.

Daar zitten ze een hele tijd.

Drie dagen later ziet het er al zo anders uit.

Bij het meer is een mooie plek met stoelen.

Mieke en Jesse spelen in het meer, mama leest.

Ze kregen een **surfplank** van Nino.

En hij stopte de koelkast vol ijsjes voor hen!

Ineens zegt mama: 'Deze **vakantie** is zo vreemd.

Daar kan nog wel een laatste verrassing bij.

Loop maar mee naar de oprijlaan!'

Er komt een auto aan rijden, die ze goed kennen.

'Wat,' roepen ze uit, 'komt papa daar echt aan?'

Ze rennen op hem af.

Even later zitten ze weer op de schommelbank.

'En, heeft Nino een fijn hotel?' vraagt papa.

'Een fijn hotel?

Een vreemd hotel!' zeggen ze.

'Weet je wat wij allemaal beleefd hebben?'

Papa geeft mama een knipoog.

Hij doet alsof hij niks weet.

En dan vertellen ze het hele verhaal.

Leestips

Algemeen

Leesplezier is het allerbelangrijkste!

Kinderen bij wie het leren lezen niet zonder problemen is verlopen, vinden lezen moeilijk en niet leuk. De boekenserie Zoeklicht Dyslexie wil de drempel om te gaan lezen verlagen en kinderen laten ervaren dat het lezen van een verhaal plezier geeft.

U kunt als ouder een belangrijke rol spelen in het laten ervaren van leesplezier. Daarom hebben we hieronder wat eenvoudige tips bij elkaar gezet.

De gulden regel is om het plezier in het lezen voorop te stellen.
Dwing uw kind nooit tot lezen. Kies geen boeken voor het kind waarvan u niet zeker weet dat uw kind het onderwerp leuk vindt. En kies liever een boek met een (te) laag AVI-niveau dan een boek met een (te) hoog AVI-niveau.

Maak lezen niet tot straf. Stel het lezen niet in de plaats van iets wat uw kind graag doet, bijvoorbeeld computeren of televisie kijken. Lees elke dag een kwartiertje op een tijdstip dat uw kind het wil. Geef het bijvoorbeeld de keuze: of om acht uur naar bed of nog een kwartiertje opblijven om samen te lezen. Zo wordt lezen extra leuk.

Een keer geen zin in lezen? Lees dan voor. Hiermee zorgt u ervoor dat uw kind kan blijven genieten van boeken en verhalen, zonder dat het hiervoor een (te) grote inspanning moet leveren. Heeft u een poosje geen tijd om voor te lezen? Leen dan eens een luisterboek bij de bibliotheek.

Een vreemd hotel

Maak uw kind nieuwsgierig. Om uw kind nieuwsgierig te maken naar dit boek, kunt u het boek alvast samen bekijken, zonder het te gaan lezen. Bekijk de titel: *Een vreemd hotel* en de voorkant van het boek. Waar zou het verhaal over kunnen gaan? Ook via de luister-cd kunt u uw kind nieuwsgierig maken naar de inhoud van het boek. Laat uw kind rustig luisteren naar het fragment op de cd. De auteur leest het eerste hoofdstuk voor. Uw kind hoeft hierbij niet mee te lezen in het boek. Tijdens het fragment op de cd hoort uw kind dat Mieke en Jesse onverwacht toch op vakantie kunnen. De buurman heeft Mieke, Jesse en hun moeder uitgenodigd om mee te gaan naar Italië.

Ze gaan naar het nieuwe hotel dat hun buurman daar deze zomer zal openen.
Hierdoor wordt uw kind vast benieuwd naar het verloop.
De hoofdpersonen van het boek worden op de eerste grote tekening aan de
lezers voorgesteld. Het bekijken van deze plaat kan er eveneens voor zorgen
dat uw kind nieuwsgierig wordt.

Lastige woorden op de flappen. In elk boek komen woorden voor
die lastig te lezen zijn. In dit boek komt onder andere het woord
controleren een aantal maal voor. *Controleren* is een lastig woord,
want bij een *c* aan het begin van een woord weet je niet of je die
moet uitspreken als een *s* (cent) of als een *k* (code).

hij controleert (controleren)

elektriciteit

geheimzinnig

?

Italië

krekel

pizza

De lastigste woorden uit het boek hebben we daarom op een flap
bij elkaar gezet. Thuis kunt u deze woorden samen bekijken: u als
ouder leest de woorden een keer voor. Uw kind kijkt mee en kan
de woorden als een echo nazeggen. Straks bij het lezen legt u de
flappen open en dan zijn deze woorden niet zo moeilijk meer.
De woorden op de flap worden ook op de cd voorgelezen.
Komt een moeilijk woord dat op de flap staat voor in de tekst,
dan is dit een beetje zwarter gemaakt dan de andere woorden.
Uw kind weet zo dat dit een van de lastige woorden op de flap is.

Samen lezen. Om de vaart in het verhaal te houden, kunt u met uw kind
afspreken dat jullie dit boek om beurten lezen: uw kind een bladzijde en u een
bladzijde. Hierdoor kan uw kind zich af en toe concentreren op de inhoud van
het verhaal, zonder dat het zich moet inspannen om de tekst te ontcijferen.

Prijs uw kind. Prijs uw kind uitbundig, als het dit boek helemaal heeft
uitgelezen. Het heeft een hele prestatie geleverd en dat mag benadrukt
worden. Vertel uw kind bijvoorbeeld dat er in dit boek vijftien hoofdstukken
staan die het, samen met u, allemaal gelezen heeft. Voor in het boek staan
de titels van alle hoofdstukken. Door de titels samen nog een keer te lezen,
kunt u nog even napraten over wat er in het boek allemaal gebeurd is.

Naam: *Joke de Jonge*

Ik woon met: *Kees, Hannah, Stijn, cavia Fritzi en gerbil Billy (een klein knaagdier).*

Dit doe ik het liefst: *een verhaal bedenken, tuinieren als de vogeltjes fluiten of een boek lezen.*

Dit eet ik het liefst: *Pakistaans eten. Vlees met paddenstoelensaus vind ik ook heel lekker.*

Het leukste boek vind ik: *De Grote Vriendelijke Reus (GVR) van Roald Dahl. Ik vind die in de war gegooide woorden heel speciaal.*

Mijn grootste wens is: *nergens meer oorlog of honger.*

Naam: *Juliette de Wit*

Ik woon met: *man, zoon en kat in een oud huis aan het Amsterdamse Vondelpark.*

Dit doe ik het liefst: *tekenen, wandelen naar zee en zingen.*

Dit eet ik het liefst: *alles behalve snoep.*

Het leukste boek vind ik: *'Waar gaat Ollie naartoe?' van mezelf.*

Mijn grootste wens is: *dat er op de wereld geen geweld zou bestaan.*

plastic

hij repareert
(repareren,
gerepareerd)

surfplank (surfplanken)

vakantie

verrekijker

zaklantaarn